D0774243

# VIVRE SA VIE COMME UN CHANT

Photographies: © istockphoto

Catalogage avant publication de Bibliothèque et Archives nationales du Québec
et Bibliothèque et Archives Canada

Beauchamp, André, 1938-

Vivre sa vie comme un chant

ISBN 978-2-923694-19-1 [édition imprimée]
ISBN 978-2-923694-59-7 [édition numérique]

1. Vie spirituelle - Christianisme.
2. Espérance - Aspect religieux - Christianisme.
3. Joie - Aspect religieux - Christianisme.
4. Tranquillité d'esprit - Aspect religieux - Christianisme. I. Titre.

BV4501.3.B42  2010          248.4          C2010-940004-6

Dépôt légal: 1er trimestre 2010
Bibliothèque et Archives nationales du Québec
© Éditions Bellarmin, 2010

Les Éditions Bellarmin reconnaissent l'aide financière du gouvernement du Canada
par l'entremise du Programme d'aide au développement de l'industrie de l'édition
(PADIÉ) pour leurs activités d'édition. Les Éditions Bellarmin remercient de leur
soutien financier le Conseil des Arts du Canada et la Société de développement des
entreprises culturelles du Québec (SODEC). Les Éditions Bellarmin bénéficient du
Programme de crédit d'impôt pour l'édition de livres du Gouvernement du Québec,
géré par la SODEC.

IMPRIMÉ AU CANADA EN MARS 2010

ANDRÉ BEAUCHAMP

# Vivre sa vie

*comme un chant*

BELLARMIN

# Liminaire

Le présent recueil se situe dans le prolongement de mon livre *L'instant divin*. Autant que possible j'ai cherché à éviter de faire un remake. *L'instant divin* s'inscrivait à un moment de mon expérience spirituelle. *Vivre sa vie comme un chant* se situe à la fois comme un prolongement et comme une rupture, plus ouvert à la joie et à la sérénité. À chacun d'en juger. Sa rédaction s'échelonne sur de nombreuses années. Entre-temps j'ai écrit des centaines de prières et de textes de réflexion pour le *Prions, Vie Liturgique, Rassembler* et diverses occasions. Les présents textes sont tous inédits sauf un d'ailleurs originellement pensé pour le présent recueil. Ce n'est surtout pas un «best of». C'est plus modestement un plaisir partagé. Qui sait? Peut-être quelque part un homme, une femme se mettra en route pour avoir lu dix lignes du présent recueil. Ce serait ma plus belle récompense.

ANDRÉ BEAUCHAMP

# Récidive

Salut, c'est moi, c'est encore moi,
Pour la centième, la millième fois,
Je ne sais plus.
À vrai dire, je ne compte plus les fois.
Chaque fois est la vraie,
Chaque fois est la dernière.
Je suis un récidiviste.
Un coriace, un irréductible.
Comme l'enfant qui dit au professeur:
«Je ne le ferai plus.»
Comme l'accusé devant le juge:
«Votre honneur, je ne volerai plus jamais.»
Comme l'alcoolique, le drogué,
Comme le mari volage,
Je récidive.

En vieillissant, ça empire.

Les défauts s'accentuent, ils tuent de plus en plus.

Je suis plus fatigué, plus meurtri.

J'ai plus de difficulté à croire à mes rêves,

À recommencer, à me mettre en route.

Je frappe à la porte, à ta porte, qu'importe,

Je te frappe au cœur.

C'est moi, encore moi.

Ne fais pas le surpris, tu le savais bien.

Allez, ouvre!

On ne laisse même pas un chien dehors.

Je t'en prie! Je t'en prie!

Laisse-moi entrer dans la prière.

C'est tout ce qui me reste.

Je repartirai, pour sûr.


Je ne crois plus à mes propres mensonges.

Et pourtant je suis là tout entier.

Encore une fois, donne-moi l'espérance.

Il est des moments de la vie où il ne reste que la prière.

La vie entière peut devenir fardeau;

La peur, le doute, la mort, la solitude absolue, l'absence.

Et tout au fond de soi, un murmure, un chuchotement
Même les mots n'arrivent plus.
Il ne reste que les larmes et le souffle,
La fatigue infinie de se penser au bout du rouleau.
Mais comme une source, ça coule en dedans
J'arrête de chercher. J'abandonne.
Au bout du tunnel, il y a toi.
De ce côté-ci, simplement moi,
Une fois encore, une fois de plus, comme la première fois.

Toute vie est errance car la route est sans fin.

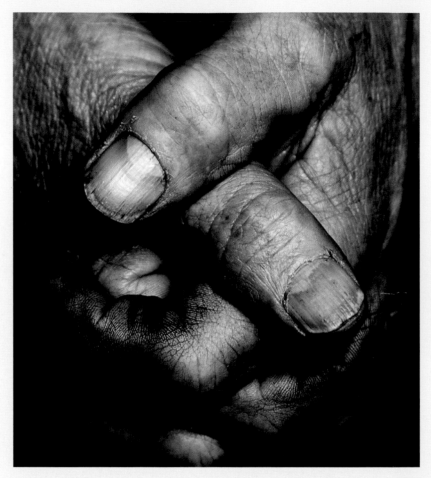

Il est des soirs où la solitude est présence.

# Seul

J'étais si seul, ce soir.
Je suis très souvent seul, le soir
Quand je n'ai pas de réunion
Et que s'écoulent les heures du souper jusqu'au coucher.
Mais la solitude de ce soir était particulière,
Ni triste, ni maussade, ni inquiète, mais d'une profondeur
    infinie.
J'étais tellement seul que j'en ai oublié
Les autres soirs meublés de tant de présences.
Seul, seul, inexorablement seul
Malgré la radio qui joue Mozart ou Schubert.
Bientôt la petite fille d'à côté frappera sur le mur
Et criera de toute la force de ses dix-huit mois.
Une autre voisine ferme doucement sa porte
Et j'entends le cliquetis de la serrure.
Le monde alentour poursuit sa route.
Un monde vivant et habité.
Je n'en suis pas moins seul.

C'est quoi donc être seul?
C'est être bien avec soi dans le calme du soir
C'est tout à coup sentir son corps en harmonie avec
    la totalité du monde
C'est faire retour sur soi et sourire à soi-même
C'est prendre un regard détaché et contempler les astres
C'est se dire qu'on existe et qu'il fait bon d'être là.
Quand j'étais jeune, être seul c'était avoir peur
Être terrifié, halluciné, écrasé par les monstres de l'ombre
J'ai tellement eu peur autrefois.

Et me voici calmement seul entre angoisse et volupté.
Douce plénitude de la solitude,
Douce angoisse de la solitude.
Volupté d'être, d'être bien, de glisser dans la sérénité
    du soir.
Il est des soirs où la solitude est présence,
Soirs inachevés qui nous parlent d'absence et d'éternité,
Calmes moments de veille en attendant l'aurore,
Car il n'est de nuit qu'en la certitude du matin.

# Résolution

C e matin-là, réalisant le désordre de sa vie, il décida de prendre un certain nombre de résolutions. Point besoin de chercher midi à quatorze heures, ni de faire de longues analyses. L'évidence lui crevait les yeux. Il suffisait de regarder la réalité en face et de se reprendre en main. D'abord faire le ménage. Passer la balayeuse, épousseter, laver le plancher, nettoyer la salle de bain, ranger les livres et les revues. Sa maison est comme une course à obstacles. Tout traîne. Cirer ses chaussures. Aller porter les matières secondaires au bac de recyclage.

Régler les choses en souffrance. Appeler Hélène, Maryse, Denise. Confirmer le rendez-vous avec Michel. Planifier la prise de sang dont le médecin lui a donné la prescription il y a peut-être deux mois. Penser à faire poser les pneus d'hiver sur la voiture. Acheter du liquide lave-glace. Il se mit à remplir frénétiquement des petits bouts de papier de choses à faire et à acheter. La liste d'épicerie. Et le cadeau pour le baptême de Mélanie, la fille de David et Julie.

«Je vais mettre de l'ordre dans ma vie. Manger moins et manger mieux. Prendre le temps de goûter à ce que je mange. Manger plus de fruits et de légumes et moins de viande. Boire plus d'eau. Diminuer sur l'alcool. Me coucher plus tôt. Son père disait toujours: «Les heures avant minuit comptent double.» Ces gens-là ne connaissaient pas l'heure avancée. «La fortune appartient à ceux qui se lèvent tôt!» En me levant plus tôt, je pourrais aussi faire un peu d'exercice, de la marche ou de la course.

Regarder moins la télévision. Prier davantage. Prendre le temps de remercier Dieu pour tant de bienfaits. Ne pas me renfermer dans mon cocon. Écouter les nouvelles nationales et internationales pour rester sensible à toute la détresse humaine. Signer la pétition d'Amnistie internationale pour obtenir la libération du prisonnier du mois.

Il regarda son agenda. Fit d'autres listes de choses à faire. Prépara quelques notes pour la prochaine réunion du comité de gestion.

Finalement, ce n'est pas si compliqué que ça. Il alla s'étendre dans le fauteuil en pensant à l'absolu désordre de sa vie et à la planification lumineuse qu'il avait mise au point. Il sentait le bonheur à portée de la main. Il se cala un peu plus dans le fauteuil. «Il faudrait quand même que je fasse le ménage», se dit-il. Une voix venue de sa fatigue lui souffla à l'oreille: «Bof, fais-t'en pas avec ça! Depuis le temps qu'il attend, le ménage, un jour de plus ou de moins, ça ne changera pas grand-chose.»

En glissant dans le sommeil, il s'entendit murmurer: «Ma foi, j'aime ça prendre des résolutions!»

# Au restaurant

J'étais ce soir-là à l'Apsara, à Québec, sur le boulevard d'Auteuil, à deux pas du Manoir d'Auteuil où je demeure parfois quand je suis dans cette ville. Un fameux restaurant, il faut dire. Et fort fréquenté.

Il était tard, vingt-deux heures. J'étais crevé. En ce soir de janvier, il m'avait fallu plus de quatre heures dans la neige pour faire le parcours Montréal-Québec. Le patron, qui me connaît un peu, m'a fait signe de m'asseoir. J'ai commandé un plat de poisson, du riz blanc et un demi-litre de rouge.

Sans le vouloir, j'entendais la conversation de trois clientes de l'autre côté, à trois tables de distance. Début de la cinquantaine, œuvrant dans le domaine de la santé. Probablement infirmières. Peut-être médecins. Détendues, rendues plus loquaces grâce à une bouteille de vin. Elles ont parlé de porto, de tawny et de vintage, puis de voyages et de la neige qui tombait. Elles ont parlé des hommes, bien sûr. L'une s'excusait d'avoir un homme plus jeune qu'elle. Les autres l'ont rassurée. La deuxième avait accompagné la troisième dans un bar de rencontres. Comme je ne cherchais pas à entendre, j'ai perdu des bribes de leur conversation. «Pourquoi notre corps fait-il du bruit quand on mange?», me disais-je. Quand deux vices se font la guerre: la gourmandise et la curiosité, auquel est-il plus moral de succomber? La gourmandise a eu le dessus.

Je n'ai donc pas su le déroulement de l'aventure ni ce qui s'est réellement passé. Mais l'évènement semblait plutôt heureux, si j'en crois leurs rires. Elles ont parlé des hommes en général mais aussi des hommes malades à l'hôpital, des usagers du système hospitalier. À leurs accents, j'ai bien compris que leur rapport professionnel aux hommes malades se doublait d'un regard féminin sur le corps masculin, regard pas tout à fait détaché. Loin de me scandaliser, cette évocation m'a plutôt rassuré sur notre système de santé. Le système ici n'oblitère pas l'ensemble du rapport humain entre professionnels et usagers.

Par malheur, ou par chance, je suis encore un homme en santé de sorte que mes trois voisines ne m'ont même pas vu. Cela m'apprendra à tendre l'oreille à des propos qui ne sont pas pour moi. Je me disais toutefois en rentrant à l'hôtel que les restaurants sont des lieux bien étranges.

Bien que publics et ouverts à tous, ils sont les lieux par excellence de la confidence. Combien de couples qui n'arrivent pas à se parler à la maison règlent leurs différents au restaurant? Ils ont sans doute besoin d'échapper aux soucis de faire le repas et de le servir. Ils profitent surtout de la contrainte que leur impose l'espace public: rester calme, parler à voix basse, prendre son temps, ne pas faire d'esclandre, bref sauver la face puisque d'autres les voient. Nous avons finalement si peu de lieux de rencontre. Pire encore, dans le brouhaha incessant de nos vies, nous prenons si peu le temps de nous rencontrer. Si vous allez au restaurant, de grâce prenez votre temps. Mais parlez plus bas, sinon un dîneur solitaire pourrait tendre l'oreille.

✳ ✳ ✳

# 50 ans

J e les ai connus en 1968, à la Nativité de la Sainte Vierge à Hochelaga. Ils venaient de se former une chorale sous la direction de Raymond Cournoyer, frère de Sainte-Croix et fameux animateur de chant. Ils se réunissaient chez les Petites Sœurs de l'Assomption, rue Sainte-Catherine, dans l'ancien bureau de poste. Bien vite, ils ont eu un local et l'ont décoré à leur image et à leur ressemblance. Il y avait sœur Jacinthe, redevenue plus tard Hélène. Je me suis joint à eux comme accompagnateur. J'ai dû tenir promesse car trente-quatre ans plus tard, un certain noyau continue d'être actif et de se voir, y compris moi-même.

En 1968, j'avais 30 ans. Eux en avaient 16 pour la plupart, avec de légères variantes. J'avais deux fois leur âge, ou presque. Trente-quatre ans plus tard, il n'y a toujours que 14 ans entre nous, et ces années comptent de moins en moins. Bien sûr, je suis vieux. Bien sûr, je ne suis pas de leur génération. Cela ne peut pas s'abolir. Mais les quatorze ans de distance ne représentent plus la même chose. C'est une simple différence, ce n'est plus un fossé. Nous sommes comme du même côté du mur alors qu'en 68 la relation était inégalitaire.

Je n'avais jamais pensé qu'ils auraient cinquante ans, que les cheveux des hommes deviendraient gris ou plus rares. Je n'avais pas pensé que les jeunes femmes, devenues mères, verraient même approcher le retour d'âge, ce ressac du temps qui dit au ventre de s'apaiser et au cycle des naissances de passer le flambeau à l'autre génération. Ils ont déjà 50 ans. Comment cela se peut-il? Ce pourrait être pour moi une revanche. Surtout pas. Une nostalgie? Pas davantage. Une douleur? Peut-être. J'aurais presque le goût de leur écrire une lettre: lettre d'un père qui n'a pas d'enfants à des enfants qui n'ont plus de parents. Lettre sur nos voyages, nos parcours, nos découvertes et nos errances.

La vie commence à quarante ans, dit-on, Ah oui? Mais, au fait, elle commence quand la vie? À dix-huit ans, à trente ans, à cinquante ans, à soixante-quatre ans? À la première menstruation, à la première auto, au premier chèque de paie, au premier baiser volé, au premier divorce, au premier coup de semonce qui nous fait comprendre que la santé s'en va déjà et que le corps amorce sa descente?

La vie commence quand on commence à voir clair et à comprendre. Comme disait Hugo : « Il y a de la flamme aux yeux des jeunes gens, mais dans l'œil du vieillard il y a de la lumière ! » Jeunes, nous mordons dans la vie, si ardemment, si goulûment, avec une telle faim, une telle hâte, une telle fièvre. Nous vivons mais ne le savons pas. La vie commence quand nous commençons à savoir qui nous sommes. Cela n'abolit pas le projet. Cela suppose certes un certain passé, une certaine durée faite de réussites et d'échecs, d'amour et de haine, d'extase et de furie. Nous commençons à vivre quand l'angoisse de devenir cède un peu la place au plaisir d'être ici et maintenant. Cela mérite bien du gris aux tempes, des raideurs aux chevilles et une fatigue plus vite venue aux jours de grand travail.

En admirant vos cinquante ans, je me dis que le temps est bien mince qui nous sépare. Ajoutez encore un petit quinze ans à votre cinquantaine. Le compte y sera probablement. La vie pour vous commencera enfin.

# 11 septembre

C'était un onze septembre. Il faisait beau ce matin-là, dans la splendeur de l'été finissant. Elle lui avait dit: «Vous ne pouvez pas partir sans qu'on se voie une dernière fois.» Il pensait tout à fait de même mais n'osait se l'avouer. Cela faisait presque deux ans qu'il la voyait, l'écoutait, la conseillait, lui apportait son soutien. Thérapeute, certes. Mais aussi ami, ami sans cesse plus proche. Les frontières sont minces parfois entre le métier et la vie tout court.

Au long de ces deux années, elle avait raconté sa vie, ses échecs, ses angoisses, la naissance de ses trois enfants dont la dernière n'était pas du même père, mais comme dit la chanson: «Ton père n'est pas ton père, mais ton père ne le sait pas.» Le récit de sa vie avait ressemblé au récit d'autres vies, avec ses drames, ses peurs, sa part excessive de malheur. Était-ce cette surdose de désespoir mal formulé qui avait suscité en lui un goût de protection, un plaisir de la retrouver, un désir d'elle qu'il se dissimulait farouchement derrière ses justifications professionnelles?

Tout serait clair demain puisque, demain, il partait pour deux ans. Deux ans au Brésil dans un projet de recherche super intéressant. De quoi calmer le cœur et les sens.

Il passa la prendre à huit heures et l'amena marcher à Saint-Hilaire dans la réserve écologique créée par l'Université McGill. Il l'aida à descendre d'un escarpement. Elle perdit pied et s'écroula sur lui dans un climat trouble de rire et d'abandon. «La feuille d'automne emportée par le vent... tombe en tourbillonnant. Colchiques dans les prés...»

De toute sa vie, il lui a semblé qu'il n'avait jamais connu un si beau onze septembre. C'est en revenant vers l'auto ivre d'amour mais pourtant décidé à partir qu'il apprit la nouvelle de l'attentat de New York et la chute des tours du World Trade Center. Pourquoi le plus beau moment d'une vie s'associe-t-il au pire d'une société? Il n'oublierait jamais le onze septembre. Il lui sembla qu'il ne pardonnerait jamais à la vie, ou à Dieu, ce mélange infect d'amour et de haine, de vie et de mort, de beauté et de répulsion.

À bien y penser, chaque vie a son onze septembre.

# Pour une heure perdue

Aujourd'hui, samedi 11 mai 2002, il a fait un temps splendide. Le fond de l'air est resté frais, presque frisquet, mais un soleil généreux est venu réchauffer l'atmosphère pour rendre le tout parfaitement agréable. Après plusieurs jours de vents brusques, nous avons eu droit à des vents très modérés. Depuis trente minutes environ, l'air se refroidit déjà. Le soleil baisse lentement et on sent que la nuit sera fraîche. C'est le moment précis où se produit une inversion de température. Alors tout est absolument tranquille. Aucune feuille ne bouge. On dirait que tout est suspendu et figé dans l'immobilité. Les oiseaux si criards à ce temps-ci de l'année gardent silence. Deux corneilles ont passé sans bruit et j'ai vu leur ombre se découper sur le vert gazon. En bas, dans la zone inondée par la crue du printemps, un héron se tient immobile, à l'affût. On dirait un arbre mort.

J'aime ce moment de clarté et de calme. Tantôt le vent reprendra un peu ses droits et le soleil ira tomber derrière le contrefort des Laurentides. Il serait pompeux de parler de montagnes, voire de collines mais déjà les ombres des arbres s'étirent si longuement qu'on s'imagine mal qu'il subsistera encore deux pleines heures de clarté. Quand la température aura un peu chuté, le vent se relèvera et les arbres applaudiront de toutes leurs branches, de leur tronc, de leurs feuilles encore minuscules. On a l'impression d'une pudeur d'enfant qui prend son bain et qui ne sait pas encore vraiment qu'il est nu. À n'en pas douter, voici un moment d'éternité, un temps de suspension et d'arrêt, comme un silence dans une fugue de Bach, comme ce sentiment de bien-être qui suit une confidence avant qu'on ait pu oser un commentaire.

J'écoute le temps silencieux qui tombe et qui coule et je me demande pourquoi il m'arrive si rarement de m'en rassasier. J'aime mieux le bruit sans doute, j'aime mieux le vent, j'aime mieux m'affairer et faire ce qu'il y a à faire. Car il y a tant et tant de choses à faire que je n'ai point faites, que je ne ferai pas. J'ai déjà quelques vies de retard. Ma vie est un retard qui ne se rattrape pas. Je suis en manque d'éphémère.

Merci, Seigneur, de cette heure bien courte de calme et d'éternité.

Une branche de pin déjà commence à battre de l'aile de haut en bas. Le vent prend son envol, timidement, sûrement. Il n'y aurait eu dans ma vie que cette heure-ci que déjà, me semble-t-il, ma vie en aurait valu la peine.

Allez, ouste, grouille, t'as encore perdu une heure!

# Le chemin vers soi-même

Il existe une publicité racoleuse où une jeune femme séduite par un bien de consommation achète le produit en question, l'enveloppe comme un cadeau et se l'offre à elle-même en écrivant: de moi à moi. Il existe toute une littérature, en majorité féminine m'a-t-il semblé, où tout le plaisir consiste à penser à soi. Petits plaisirs du corps: manucure, pédicure, massages, bains, traitements à la cire, aux algues, etc. Se faire dorloter, se faire chouchouter comme on dit. On peut aussi s'offrir du chocolat, un déshabillé vaporeux, une nuit à l'hôtel, un hôtel haut de gamme où tout ne semble qu'abandon. Bref, le désir narcissique par excellence. Le petit chien de compagnie que l'on cajole et embrasse, que l'on appelle son toutou et son petit enfant, correspond assez bien à cette centration sur soi qui semble nous caractériser. Culture égotiste fixée sur son bonheur à soi où l'on a finalement l'impression que l'autre n'existe pas pour vrai et qu'il n'est qu'un prétexte, un tremplin pour revenir à soi-même. Cela me semble l'aboutissement ultime de la société de consommation qui ramène tout le bonheur et tout l'accomplissement de soi au fait de se payer les choses susceptibles de rendre heureux. Non seulement tout peut s'acheter (même le psy quand il y a des ratés) mais tout achat ne dépend que de soi.

Peut-être au fond n'y a-t-il rien de plus compliqué dans la vie que le rapport de soi à soi. Il n'y a pas d'intuition directe de soi-même. Il faut, pour penser, des mots et des concepts. Pour se découvrir soi-même, il faut donc se parler à soi-même. Je est un autre. Il faut se distancer de soi, se projeter dans des images, des visions, des rêves. Il faut se parler et se répondre dans un jeu de miroirs inachevé.

Pour aller vers soi, il faut sortir de soi. C'est vrai pour le langage. C'est vrai aussi pour la maturité spirituelle. L'enfant de la phase orale littéralement mange et boit sa mère, il l'avale, l'assimile. Et ce n'est que peu à peu qu'il découvre que sa mère est une autre, et que cette mère est également en relation étroite avec un autre qui est le père. La mère a sa propre vie. Elle doit dormir, s'absenter, voir à ses propres besoins. C'est dans la dialectique extraordinairement complexe du plaisir et de la frustration que va se construire une représentation de soi et du monde. Désir incestueux de la mère, meurtre symbolique du père, ce rival, compétition ferme de la fratrie, jeu de l'affrontement, de la séduction, du défi et de l'obéissance qui vont permettre finalement à un enfant de devenir un être humain capable de vivre correctement avec les autres.

Bref, le chemin qui mène à soi passe par autrui. Ce n'est pas là une grande découverte. Dès que l'on vient au monde, il y a face à soi-même les autres, non seulement l'autre intime, immédiat, celui à qui je dis tu, mais aussi le tiers inconnu et collectif: la communauté, la société. La loi est la figure de ce tiers qui s'impose à moi.

Dans les sociétés traditionnelles, le bonheur consiste à s'intégrer dans le groupe. Être coupé du groupe, isolé, rejeté, c'est l'équivalent du malheur, voire de la mort. Dans notre culture, le bonheur semble consister à se couper des autres pour ne vivre finalement que de soi et que pour soi. Il y a le petit cocon familial et domestique: en banlieue, chacun a sa maison, son auto, sa piscine, sa tondeuse. À l'intérieur de sa propre famille, chacun s'isole comme il peut: sa chambre, sa télévision, sa radio, son téléphone portable. Pire encore, plus l'enfant est jeune, plus ce besoin s'affirme et s'accentue. À la maison, on ne mange plus en commun. Il est presque inconvenant de manger ensemble un plat commun.

Alors on mange sur le comptoir en regardant la télévision, ou en écoutant son iPod.

Cette atomisation à l'extrême de la société et la centration excessive sur soi seul et son plaisir ont évidemment des ratés. Par exemple, l'incapacité d'assumer sa solitude et de faire face au silence. Les adolescents de l'école voisine défilent dans la rue en groupe de quatre ou cinq, mais ils semblent se parler peu. Il y en a toujours deux ou trois occupés à parler à quelqu'un ailleurs par le moyen d'un portable. Désir contradictoire d'être physiquement avec les autres et de les quitter au plus vite en tenant une conversation privée avec une tierce personne. Même phénomène dans l'autobus où la banalité des conversations qu'on est forcé d'entendre est à mourir d'ennui.

Nous vivons en ce sens de profonds paradoxes. À trop se chercher, on se rate. À trop se disperser, on se perd. Comment sortir de soi sans se perdre, comment entrer en soi sans se couper des autres?

Depuis pratiquement la Renaissance, l'Occident vit dans la recherche de l'autonomie, de la référence à soi seulement. La Loi est la figure du tiers, de la société qui s'impose à soi. Situation que l'on appelle hétéronomie, c'est-à-dire la règle (du grec *nomos*) de l'autre (du grec *hétéros*). Comme la loi n'est jamais parfaitement adaptée à toutes les situations, elle est souvent écrasante envers l'individu. D'où la révolte d'Antigone contre son père et celle de Roméo et Juliette désireux de vivre leur amour contre la règle de leurs clans. C'est aussi la révolte de Gide, puis de Sartre qui s'est voulu le chantre de la liberté tragique.

Au fond, nous voudrions vivre dans une société où il n'y aurait plus de société. Que la société nous donne la sécurité, le confort, les services. Mais que toute sa raison d'être ne repose que sur la seule satisfaction de l'individu. Ainsi, il n'existerait rien en dehors de moi, ni normes, ni lois, ni contraintes. La réalité sociale n'est plus perçue que comme un pur dehors, une entrave au bonheur personnel. C'est l'aboutissement final de la société de consommation.

Dans ce monde-là, il n'y a finalement plus rien d'autre que soi: ni environnement (l'environnement est simplement une banque de ressources), ni société, ni Dieu, ni loi. Car tout cela porterait atteinte à mon bonheur, à mon autonomie, à mon authenticité.

Mais le bonheur n'est pas au rendez-vous. Le sujet isolé et atomisé sombre finalement dans l'ennui et la désespérance quand viennent la pauvreté, la maladie, la vieillesse.

Il faut donc conclure à l'inverse de la perception première. Le chemin qui mène à soi-même passe par la sortie de soi et la rencontre du monde et des autres. Cette rencontre est extraordinairement féconde et précieuse. Par exemple, passer dix ans, vingt ans de sa vie à étudier pour s'approprier une partie du savoir accumulé avant soi n'est ni perte ni temps perdu. C'est un investissement prodigieux qui transforme l'individu et lui ouvre un espace de liberté. L'attention portée à l'environnement comme système vital, comme écosystème, permet de découvrir la profondeur et la complexité de notre enracinement dans le cosmos. Cesser de penser qu'avec ma naissance à moi il y a eu comme un début absolu. Se percevoir comme un maillon dans une longue chaîne.

Il faut perdre sa vie pour la trouver. Il faut aimer pour devenir soi-même. Certes nul d'entre nous n'est pur amour, pure oblativité. Mais jeter sa vie dans la balance, la risquer pour une cause à laquelle on consacre le meilleur de soi-même (cause politique, sociale, religieuse, artistique, peu importe) est le détour indispensable pour finalement se trouver.

Qui n'a jamais fait de voyage ne sait pas ce que c'est que de rentrer au port. Qui n'a pas eu l'audace de se vider de soi ne sait pas la profondeur de son être secret.

Il est long et difficile le chemin qui mène à soi-même.

◁◁▷ ◁◁▷ ◁◁▷

Le chemin qui mène à soi passe par autrui.

Il m'arrive de te chercher au-delà de la mer.

# À vous de jouer

Il y a tant de façons de mourir.
Moi je dis, notre génération mourra par étrangeté,
Par fatigue,
Parce que nous ne voudrons plus affronter quotidiennement
    un monde dont les problèmes nous dépassent.
Alors, nous baisserons les bras.
Nous dirons aux plus jeunes (sont-ce les moins vieux?):
    « Ce monde est trop compliqué. Continuez sans nous,
    ça ira. »

Moi, je ne suis plus sûr de vouloir poursuivre le chemin.
Un monde où il n'y aura plus ni père ni mère,
Mais des clones, des géniteurs biologiques?
D'un côté, ceux et celles qui se réclameront
    du gêne prétendument parfait
Et les autres qui ne sauront pas?
Et la masse immense de ceux de l'ancienne manière
Déjà déclassés, déjà délaissés?
Le monde qui naît, comment dire, semble inhumain.

D'autres pensent qu'il est surhumain.

Qu'il appartient à l'âge de demain.

Je suis vieux jeu.

Je comprends très bien tout cela.

Mais je pense que je ne veux pas cela.

Mon temps est fait.

C'est le temps de passer la main.

Jeune, je pensais que la mort était un néant.

Je sais aujourd'hui qu'elle ressemble à une révérence.


Je ne sais plus, je ne peux plus.

Je ne veux plus être partie prenante de cette humanité
    nouvelle.

À vous de jouer.

Jeune, j'étais beau joueur, je ne joue plus.

J'ai trop de mal à comprendre.

Alors permettez que je passe.

Je suis hors d'ordre,

Hors d'âge.

Je cherche en vain les fils qui nous relient dans la longue
succession des âges.

Le temps est trop neuf sans doute.

Trop rapide, trop sec, trop brusque, trop mathématique.

Permettez-moi donc de tirer ma révérence.

Sans rancune,

Et bonne chance!

# Carnet d'adresses

J'ai refait mon carnet d'adresses. C'était un vieux carnet à anneaux et feuilles mobiles, ce qui permettait une certaine souplesse. Pour le remplacer, je n'en ai pas trouvé de semblable avec des feuilles mobiles, mais je me suis dit qu'à mon âge je n'avais plus vraiment besoin d'une telle malléabilité. L'autre a tenu bon presque 25 ans. L'actuel n'aura pas à relever pareil défi. J'ai donc acheté un petit calepin à reliure en spirale qui ne permet pas de permutation. Comme il y avait plein de pages et d'espace, j'ai décidé de n'utiliser que les rectos, (les versos sont en réserve) et même sur les rectos j'ai gardé plein d'ouvertures.

Refaire son carnet d'adresses, c'est une aventure. D'abord, il y a les mobiles, les gens à l'âme voyageuse ou déménageuse. En transcrivant le nom et l'adresse, en espérant que cette dernière soit bonne, c'est un parcours social qu'on revoit. Le premier loyer tout modeste. Et déjà le deuxième. Puis le troisième. Enfin, la propriété en banlieue, ou le condo. Il y a aussi les heurts et les ruptures. On écrit Louise et Michel, mais il a fallu corriger: Louise et Richard.

Michel est encore dans le calepin à anneaux. Faut-il le transcrire dans le nouveau carnet? Pas nécessairement. Mais, en ce cas, mieux vaut conserver le vieux calepin.

J'ai été terriblement surpris. Il y a des noms (avec des adresses et des numéros de téléphone) qui ne me disent maintenant absolument rien. Qui étaient ce Roger, ce Jean, cette Marthe, cette Johanne dont je ne me rappelle absolument rien? Pourquoi un jour sont-ils entrés dans ma vie et dans mon carnet? Ils étaient importants, sinon essentiels. Et pourtant, je les ai chassés de ma mémoire. Et puis, il y a les autres dont je garde un souvenir ému. Pourquoi ne les ai-je pas rappelés de temps à autre? Pourquoi ce silence, cet oubli? En transcrivant leur nom et leur adresse, je me demande pourquoi je n'ai pas trouvé un peu de temps pour leur dire une fois encore: «Salut. Je pense à toi. Je t'aime.» On ne dit pas ces choses-là car l'autre, au bout du fil, peut en profiter pour demander un service, une démarche, un appui alors que toutes nos énergies sont axées sur autre chose.

Et puis, il y a l'énorme liste des morts. Les oncles, les tantes sont disparus. Ma sœur, mon frère, deux beaux-frères, une belle-sœur. Tant de connaissances et d'amis. J'ai été surpris. Des confrères de classe, des amis, des employés. Que les plus vieux soient partis, on le comprend. Pour les plus jeunes, on le comprend encore, quand il s'agit d'accidents ou de cas exceptionnels. Pour nos compagnons d'âge, amis, confrères de classe, connaissances ou même rivaux, on s'étonne. Je revois mes quinze ans, mes vingt ans. Pourquoi Robert, Paul et Pierre sont-ils morts ainsi au début de la soixantaine? Et pourquoi Francine à quarante-six ans? Et Ginette à cinquante-cinq ans alors qu'elle m'était toujours parue une force de la nature?

Je regarde un à un les noms de mon carnet. Ceux que je ne retiens pas parce que cela ne vaut plus la peine. Ceux que je retiens. Et je me demande qui de nous survivra à qui? Nicole me survivra-t-elle? Ou Robert? Ou Claude? Ou Hélène?

Mais il y a dans mon calepin plein d'espaces vides. Ce sont des pages ouvertes pour d'autres noms, d'autres visages qui viendront s'inscrire dans ma vie. Un nom, un numéro de téléphone. Une référence brève et purement fonctionnelle qui sombrera vite dans l'oubli, comme la Julie ou le Marc de l'ancien carnet. Mais peut-être aussi un nom fulgurant qui viendra s'inscrire comme Julien, René, Germaine, André, François l'ont fait il y a presque quarante ans.

*Amis oubliés, je vous demande pardon.*
*Amis défunts, je vous dis à bientôt.*
*Amis à venir, je vous dis bienvenue.*
*Je vais mon chemin égoïstement,*
*Obsédé du présent et des défis actuels.*
*Le temps nous fait, le temps nous va,*
*Le temps nous disloque irrésistiblement.*
*Cherchons ensemble l'au-delà du temps.*

Un lointain camarade de classe est mort noyé dans la carrière de Villeray. J'étais en troisième année. Un autre, il s'appelait René, est mort de la poliomyélite en 1948. Bien d'autres sont morts également, dont je n'ai su ni la vie, ni le drame, ni la douleur des parents. Chacun est heureux en oubliant la douleur qui l'entoure. La conscience absolue du malheur serait intolérable. Nous essayons de survivre dans l'entre-deux, entre le bonheur fulgurant de vivre, de jouir goulûment de la vie (le chant des grenouilles, vingt mesures de Bach, le calme du cœur et des sens, une tranche de saumon fumé, vingt minutes de lecture) et la douleur ou la révolte de ceux et celles qui souffrent (l'enfant battu, la femme violée, le paysan exproprié, le bègue méprisé).

J'ai refermé mon calepin. Je suis encore vivant, chanceux et heureux de l'être. Quand d'autres regarderont mon carnet d'adresses, quel jugement porteront-ils sur mes choix? Sans trop s'attarder à l'identité des noms, peut-être se demanderont-ils s'il existe au-delà de la fragilité de notre mémoire une source absolue d'amour capable de garder souvenance de chacun d'entre nous.

*C'est pas toujours drôle de vieillir.*
*C'est angoissant de penser devoir mourir un jour.*
*C'est fascinant de tenter de voir plus loin*
*Et d'entrevoir à l'horizon de nos amitiés*
*Un foyer de convergence et d'amour*
*Un Dieu qui nous rassemble et nous garde en sa*
*mémoire.*

# Bénédiction de maison

Des amis m'ont demandé de bénir leur maison. On appelait autrefois cette pratique pieuse un sacramental, c'est-à-dire un signe qui nous rattache à un univers de sens. Il ne s'agit pas d'un geste magique ou superstitieux mais d'une volonté délibérée d'une personne croyante de relier sa vie quotidienne à son expérience de Dieu.

Détail révélateur: alors que les parents voulaient faire bénir leur maison neuve, leur fils cadet (dix ans) ne voulait surtout pas que ses amis apprennent qu'un prêtre était allé chez eux bénir la maison. Il en mourrait de honte!

Béni sois-tu Seigneur,
Toi, le chemin, la vérité et la vie,
Toi, notre route et notre destination,
Toi, notre horizon,
Toi, notre refuge et notre maison.

Nous te prions aujourd'hui de bénir cette maison
Bénis surtout les personnes qui l'habitent
Ils te rendent grâce pour tout bien reçu de toi
    et veulent te bénir en ce jour d'abondance.
    Que ta paix et ton amour descendent sur eux aujourd'hui.

Fais de leur maison un lieu de tendresse, d'échange
    et de compréhension.
Tantôt un lieu de silence
Tantôt un lieu de fête, de danses et de chants
Un lieu de chaleur et de vérité
Un refuge en hiver
Un abri en été
Un havre en toute saison.
Que la famille élargie, les amis, les étrangers
    y trouvent au besoin accueil et réconfort.

Dieu des pères et des ancêtres
Dieu des mères et des générations
Dieu des enfants de la promesse
Bénis cette demeure
Au nom de Jésus Christ, notre seul temple
    et notre sauveur
Dans l'unité du Saint-Esprit
Maintenant et pour les siècles des siècles.

Amen.

✳  ✳  ✳

# Je n'ai plus

Je n'ai plus de raison
Je n'ai plus de saison
Je n'ai plus de maison.

Je n'ai plus de place
Et j'ai perdu la trace
Qui conduit vers l'espace.

Je cherche mon destin
La nuit traîne sans fin
Je n'ai plus de matin.

Y aura-t-il encore
Une fleur pour éclore
Viendra-t-il une aurore?

Et si le temps qui fuit
Tout au bout de la nuit
N'apporte que l'ennui?

Donne-moi ta main
Donne-moi ton pain
Que se lève enfin

Au-delà des frontières
L'éclat de ta lumière
Car tu es Notre Père.

Amen.

◈ ◈ ◈

# Une fête

Une fête
Grande comme ma tête
Qui jamais ne s'arrête
Et laisse à la mémoire
La nostalgie des soirs
Une fête

Une fête
Joyeuse comme un chant
Comme un rire d'enfant
Comme un soleil tout blanc
Qui luit sur le printemps
Une fête

Une fête
Chaude comme ton corps
Où notre amour s'endort
Et dure et dure encore
Bien plus tard que l'aurore
Une fête

Une fête
Belle comme un festin
Où viennent les voisins
Quand nous buvons ensemble
À ce qui nous rassemble
Une fête

Une fête
Qui ne connaît de soir
Et garde son espoir
Au temps du souvenir
Pour ne jamais mourir
Une fête

Notre fête
La voilà qui s'efface
Déjà laisse sa place
La longue nuit commence
Au temps des souvenances
Je vais garder au cœur
Cette part de bonheur
Jusqu'à l'heureux matin
Quand surgira enfin
Notre fête

Une fête, chaude comme ton corps.

C'est un entre-deux de plénitude et d'apaisement.

# Héritage

J e les avais toujours connus unis et solidaires. Tous ensemble ils formaient comme un clan, frères et sœurs, aînés et cadets. Même si la génération était longue (onze enfants sur vingt ans), même si l'aîné aurait pu être le père de la toute dernière, l'instinct de famille les soudait ensemble comme un bloc unique. Bien sûr, l'arrivée d'une épouse ou d'un mari dans le clan des frères ou celui des sœurs n'allait pas de soi. Rivalité, grognement, sarcasme. Le choix de l'un n'est jamais tout à fait le choix de l'autre. On a peur pour sa petite sœur. On a peur pour son petit frère. On voudrait même parfois protéger l'autre des émois de l'amour que l'on connaît soi-même. La jalousie des frères pour leur sœur. La possessivité des sœurs pour leur frère. Mais on finit par s'y faire et par s'ajuster au choix de chacun, de chacune.

C'est à la mort du père que la belle unanimité vola en éclats. Il y eut le clan des filles (six) contre le clan des gars (cinq), le clan des aînés contre celui des plus jeunes, le clan des riches et des parvenus qui avaient réussi en affaires contre les autres qui, moins chanceux, moins doués, moins prévoyants, s'en sortaient beaucoup plus difficilement. Le père ne laissait pas une fortune (divisé par onze, un million ne veut plus dire grand-chose), mais il avait du bien.

Pourquoi a-t-il fallu que tout l'amour de l'enfance se change en tristesse et en rivalité? On contesta d'abord les choix du père. Pourquoi la maison à celui-ci, le commerce à celle-là, le chalet à un autre, des œuvres d'art à Martin? Qui pouvait savoir en 1995, quand le père a fait son testament, que ce tableau insignifiant payé 300$ en vaudrait maintenant 47 500$? Certes Martin était un peu artiste et il avait demandé ce souvenir. Mais la plus-value dépassait le bon sens. Et de même pour la vieille horloge, la vieille Chevrolet 1957 et même la lampe Aladdin qui, paraît-il, vaudrait 1 000$ et plus.

Pourquoi tant d'amour s'est-il changé en tant de haine? Il faut comprendre que l'amour et l'unanimité d'hier n'étaient pas sans tension. Les rivalités existaient mais demeuraient cachées sous l'impérieux devoir de la solidarité du groupe. Par ailleurs, la guerre d'aujourd'hui n'est pas si totale. Si demain Joëlle tombe malade, aussitôt Claude ou Lucien viendront à son chevet même si elle s'est battue férocement contre eux. Il y a des circonstances où les conflits n'ont plus cours.

Depuis que le père est mort, il leur faut apprendre à s'aimer et à se battre équitablement. Le père ou la mère. Tant qu'il y a quelqu'un au-dessus de nous pour nous rassembler, la paix est comme imposée. C'est quand nous nous retrouvons entre nous que le défi commence.

Depuis l'origine, l'humanité est en deuil de Dieu. Chacune s'invente un dieu pour poursuivre son combat et amorce une guerre sainte. Si le père était là, il imposerait en quelque sorte sa solution.

Mais il a choisi de ne pas être là, ou du moins de demeurer à distance. Le plus étrange c'est qu'il ose dire à chacun: «Je t'aime d'un amour unique.»

Mais nous sommes assez sots pour nous battre et nous haïr. Et les plus violents, les plus exaltés se pensent les plus vrais, les plus sincères.

Nous n'avons qu'un héritage: la paix et l'amour. Tout le reste vient du Malin.

# Prière d'automne

Ce matin au réveil, j'ai senti sur mes épaules le froid si
particulier des nuits fraîches quand la pleine lune approche
et qu'en ce 10 septembre l'automne déjà pointe le nez.

J'aime la lumière si particulière de ces jours,
Même si mes automnes s'additionnent.
Ce n'est pas l'exubérance de l'été,
Ce n'est pas encore la lourdeur hivernale,
C'est un entre-deux de plénitude et d'apaisement.

Le café m'a semblé meilleur,
Et la vie plus légère.
Le poids d'angoisse s'est comme délié,
Et j'ai eu l'impression d'un nouveau départ.

Je voulais te dire merci.
La vie semble tellement aller de soi
Qu'on oublie de l'accueillir

De la recevoir de ta main comme un don précieux
Alors que ta création est un geste de bonté et de tendresse.

Merci pour cet autre jour de ma vie.
Merci pour ce tour de manège qui rappelle l'enfance.
Il me faut maintenant laisser entrer la rumeur des jours
L'inachevé combat des hommes et des femmes
Qui luttent pour leur place au soleil.

Fais de moi aujourd'hui un simple témoin de ta lumière
Un patient porteur de paix et d'amour.

Amen.

✳ ✳ ✳

# La plus belle prière

En 1962, vicaire durant la période d'été à la paroisse Saint-Jean-Baptiste, je fréquentais le centre sportif de la paroisse. Il y avait là Léo Cormier, débardeur, devenu militant de l'évangile et des droits de la personne, et Pat Girard, ancien lutteur professionnel, converti par l'abbé Paul Godin, et devenu un fan de Dieu. Moi je n'étais qu'un vicaire gringalet, enfant perdu au milieu de ces adultes.

Il y avait là un homme immense, une force de la nature, bûcheron de métier ayant travaillé quarante ans dans les forêts du Québec. Mains calleuses, bras énormes, démarche pareille à l'ours, lente et lourde, mais capable de se déclencher d'un coup.

Il avait bûché dans les forêts avant l'ère de la « scie à chaîne », au temps de la hache, du « sciotte » et du godendart. Il était fort, tenace, habile. Je l'ai humilié en lui disant qu'il avait dû en faire des choses. Moi je pensais aux prouesses du métier. Lui, sans doute, s'est rappelé d'autres types d'activités qui, en ce temps-là j'imagine, se référaient au sexe. J'ai eu honte de ma question. Je lui ai alors demandé: «Racontez-moi votre plus belle prière.»

C'était au cœur de la forêt. Il s'est retrouvé devant un arbre gigantesque, peut-être un chêne, un érable, ou un pin. Je ne sais. Il s'est donc approché de l'arbre, l'a estimé, l'a jaugé. Il en avait tant abattu. Celui-là ou un autre, le risque était nul. Il savait déjà comment l'abattre.

«Je me suis mis au pied de l'arbre. Je l'ai regardé. J'ai trouvé tout cela si beau que je n'ai pas été capable de l'abattre. On aurait dit qu'il y avait là quelque chose, ou quelqu'un, dont la présence m'interdisait d'aller plus loin. Finalement, je pense que j'ai prié.»

Il faut être naïf ou poète pour penser qu'un bûcheron dompté à la dure puisse s'arrêter et renoncer à son métier devant un arbre. Mais cela est arrivé à l'homme que je croisais. Il avait tout à coup perçu la dimension cosmique et religieuse de cet arbre-là. Son métier lui commandait d'abattre et de couper.

Au pied d'un arbre superbe il avait renoncé à son métier et s'était laissé entraîner devant tant de beauté. Il a pris sa hache, s'est approché de l'arbre. Puis il a renoncé.

Ce fut là, dit-il, sa plus belle prière. Je pense qu'il avait raison.

# Retraite

Travailler?
Ne plus jamais travailler
Laisser tout tomber
Dire non à tout ce qui, de près ou de loin, ressemble à une
obligation.
Faire le vide. Arrêter.

Depuis si longtemps que le travail m'habite
Prendre congé de lui
Prendre congé de moi
Migrer ailleurs, au pays de la fantaisie et du rêve.
Qui pourra dire ma fatigue, mon usure, mon épuisement?
Qui donc m'a ainsi volé ma vie?

À trente ans j'étais fébrile et courais partout
J'étais si avide de savoir et de goûter.
À quarante ans c'était pire, presque à la rupture.
À cinquante ans, à peine une lassitude

À soixante, d'abord une tristesse
Puis une relance à l'emporte-pièce.

Et pendant tout ce temps, où étais-je?
Pleinement engagé et pleinement absent?
Être tout entier à ce qu'on fait
S'y livrer corps et âme
Et dix ans plus tard, se demander si on a vraiment fait,
    ou dit, cela?

Dans retraite, il y a retrait
C'est un terme financier quand on va à la banque
    puiser dans le capital.
Retrait, c'est aussi un recul, une prise à distance.
Se mettre en retrait
Reculer, se dégager, observer,
Voir autrement sa vie
Rire de soi, de ses propres fureurs, de ses colères
Et voir dans ses anciens collègues ennemis des collègues
    sympathiques.
Quand on dépose les armes, combien de combats
    semblent dérisoires?

Voici, Seigneur, le temps de ma retraite
Ce n'est pas Waterloo.
Mais ce n'est pas Arcole.
Une simple mise à distance
Et comme une lassitude,
Comme un enfant qui a tant couru qu'il s'endort
    sur son jouet
Avant que sa mère n'ait le temps de le prendre
Et de le mettre au lit.

À bout de souffle, à bout de cœur,
J'arrive au bout du rouleau.
Il me semble entendre un air de Schubert ou de Chopin
Un piano fébrile qui fait vibrer le salon.
Entre la fatigue et la paix,
Entre la peur et la soumission,
Je glisse vers toi.

Merci d'être là
Merci d'être au-delà.
Je me cherche un peu
Je me cherche toujours

Je suis comme en exil
Parle-moi d'une terre, parle-moi de patrie
Parle-moi tout simplement, mon père.

Amen.

❖   ❖   ❖

# Les outardes

Vingt-six septembre. En sortant de la maison j'ai entendu leurs cris, toujours familiers, toujours surprenants. Et j'ai dit tout au fond de moi : « Tiens, voilà l'automne. » C'est comme un court jappement de chien répété en majeur et en mineur. J'ai levé les yeux et n'ai rien vu. Où donc étaient-elles ? Puis, je les ai vues volant assez bas, d'un vol rapide sur ma gauche, vers le nord, filant vers l'ouest. Mais comment font-elles pour trouver le chemin ? Une heure plus tard en allant à Saint-Canut, j'ai entendu un autre voilier beaucoup plus haut, beaucoup plus gros, volant beaucoup plus au sud mais toujours dans la même direction.

Au printemps, elles arrivent de l'ouest et montent nord-est. À l'automne, c'est tout à fait l'inverse. Mais au printemps, il me semble qu'elles traînent davantage et font parfois de grands ronds avant de se poser dans la plaine juste en face, pour une nuit ou une semaine.

Au fond d'elles-mêmes, elles ont une horloge et une carte. Une horloge qui sonne l'heure de quitter le sud au printemps et de quitter le nord à l'automne. Une carte qui les ramène d'une année à l'autre à la même place. L'horloge est probablement le soleil, la luminosité. Quand le soleil baisse et que le jour raccourcit, le signal est donné. Ainsi en est-il pour les feuilles des arbres dont la chute s'ensuit. Pour la carte de route, on peut penser aux champs magnétiques qui leur permettent de s'orienter. Ainsi en va-t-il des pigeons.

Les animaux savent leur temps et leur route. Malgré ma montre, mes horloges, mes calendriers, mes agendas, je ne sais pas trop le temps. Quant à ma route, elle est si déterminée que c'en est drôle. Sept stops d'ici l'autoroute. Il n'y en avait qu'un il y a vingt ans... mais il n'y avait pas d'autoroute. Il y a les zones à cinquante kilomètres, à trente kilomètres, les priorités, les dépassements interdits. L'été, il y a les réparations et les constructions, avec ces jeunes filles et parfois ces petits vieux armés de walkie-talkie et leur pancarte recto verso «stop-passez». L'hiver, il y a la neige. Au total, l'hiver comme l'été nous n'avons que des moitiés de route.

Seigneur, merci pour les outardes.

Merci pour leur beauté et leur fidélité

Pour leur chant si rauque

Et leur vol en V, toujours défait, toujours se refaisant.
Où qu'elles aillent elles nous font un signe
Signe d'automne ou de printemps,
De reconnaissance ou de nostalgie.
Sans feu ni lieu, on dirait qu'elles savent où aller.

Et moi c'est l'inverse,
Je suis un nomade sédentaire.
Je vais ma vie en faisant du surplace
Je n'ai ni horloge, ni carte, ni boussole
J'ai feu et lieu, bien sûr
Mais je n'ai pas la calme assurance d'un oiseau du ciel.
J'ai peur un peu, je triche un peu, je crâne un peu.
Oiseau migrateur certes, mais sans sud,
Sans nord, sans port d'attache
Je suis un migrant éphémère.
J'ai une adresse, un numéro de téléphone,
Une adresse de courriel, un numéro d'assurance
    sociale, un passeport
Je suis un maximum d'identité.
Parfaite est ma façade, devant, derrière, au nord,
    à l'ouest

Pourquoi alors faut-il qu'un simple voilier d'outardes
M'arrache tout à coup d'un monde si familier
Et me parle d'ailleurs, un ailleurs infini?
Les outardes s'en sont allées
Et je reste là à me demander où je vais.
Qu'importe. Pourvu que je marche
Que je marche, que je marche...

# Hésitation

— André, qu'est-ce que tu fais?

— Pas grand-chose. Je niaise. J'écoute de la musique.

— Alors tu viens souper avec nous?

— J'ai pas vraiment le temps. J'ai beaucoup de choses à faire.

— Oui, mais tu viens de me dire que tu ne fais rien, que tu niaises.

— Je niaise un peu. Mais je réfléchis. J'ai tellement de choses à faire que je ne sais pas par laquelle commencer.

— Tu commenceras demain. Viens souper avec nous.

— Non, vraiment, j'en ai trop.

— Voyons donc. Tu dis toujours ça mais finalement tu y parviens toujours. Tu m'as dit l'autre jour qu'en trente ans, tu n'avais jamais remis un texte en retard. Alors pourquoi t'en faire?

— Non merci. C'est trop gentil de m'inviter ainsi mais je ne peux pas.

— Très bien, on voulait juste te faire plaisir. Si tu n'en as pas le goût, c'est correct. Ce sera pour la prochaine fois.

— Merci de comprendre.

Dix minutes plus tard, André a fait le tour des choses si importantes qu'il avait à faire. À peu près rien. Il décroche le téléphone et appelle Marie.

— Marie, l'invitation tient-elle toujours? Finalement, je pense que je pourrais y aller.

— Parfait, il y a une place pour toi. Mais tu viens si ça te plaît, si tu en as envie. Pas par obligation.

— J'y vais par goût et par plaisir. Je vais sortir de ma coquille. Ça me fera du bien.

Ce soir-là André est allé chez ses amis. Ce fut bon, ce fut plaisant. Il mangea comme un goinfre. Et le lendemain, il abattit tout l'ouvrage programmé et même davantage.

En est-il si différemment quand il s'agit de Dieu? Nous remettons toujours le rendez-vous à plus tard. Il y a tant à faire. Prenez le temps d'aller le voir, de le rencontrer, de causer un peu avec lui du vent, de l'air, de la vie, de votre vie. Ce temps perdu se révélera demain un temps de surplus.

# Mendicité

À l'angle des rues Saint-Laurent et Crémazie, chaque jour de semaine, un peu après quinze heures, un itinérant s'installe. Hier, c'était un homme encore jeune accompagné de son chien. Il a bouffé un reste de sandwich, fumé une cigarette puis s'est mis à quêter. Quand le feu est au rouge, il tend la main d'une auto à l'autre. La semaine dernière, c'était une femme plutôt jeune et d'apparence enjouée. Elle courait d'une auto à l'autre avec un grand sourire. Le contraire de la misère. Auparavant, il y avait une femme de type magrébin plus âgée et l'air plus sombre avec un grand panneau sur lequel elle expliquait ses besoins: deux enfants, pas d'emploi. Cela m'a rappelé Paris où les jeunes fugueurs s'installent sur le trottoir tête baissée en écrivant leurs malheurs à la craie sur le trottoir. La mendicité n'a ni âge, ni lieu. À Rabat, à Tunis, à Casablanca, les quémandeurs vous dénichent une place de stationnement et surveilleront votre auto des heures durant. Le service vaut bien quelques dirhams. Spectacle étonnant des grandes villes où l'anonymat nous rend si étrangers les uns aux autres.

À chaque fois que je vois cela, j'ai mal au fond de moi. Si je donne, je me fais avoir. Si je refuse, je me sens mesquin, caché derrière mon volant, portes barrées, les yeux baissés fuyant le contact. Ce qui m'intrigue au fond, ce n'est pas le dollar que je donnerai ou pas. C'est cette absence totale de communication entre un carton mensonger pour attirer ma pitié et le monde clos de mon auto avec sa musique et ses rythmes. Au coin de la rue, on se croise mais on ne se rencontre pas. Et la solitude continue.

Je pense que la mendicité me répugne. Il me semble que si j'allais ainsi au bout du rouleau, j'écrirais en plus de ma détresse une certaine volonté de faire: capable de tondre le gazon ou de laver des vitres, nul à l'ordinateur mais capable d'écrire. C'est cette démission de soi qui m'afflige dans la mendicité. Quel est donc le ressort brisé qui empêche des gens qui nous semblent bien en vie d'assumer leur propre vie?

Par bonheur, dans notre société, il y a parfois un abbé Pierre, une sœur Emmanuelle, un père Pops, un travailleur de rue, un Claude Laforte, un Jean Vanier, un Coluche, pour secouer la cage et tenter l'impossible. Ici un resto du cœur, là un gîte, une tasse de café, une seringue propre. Et par-dessus tout, une parole. Beaucoup d'écoute, beaucoup de silence, mais au fond du silence une présence attentive.

Dieu du Verbe et de la Parole
Dieu du silence et de l'écoute
Fais taire nos bavardages
Et donne-nous d'entendre ce que nous voulons ignorer.
De voir ce que nous ne voulons pas voir.
Que jamais ne se ferme le cœur.

Amen.

◈　◈　◈

Je suis en manque d'éphémère.

Je ne crois plus à mes propres mensonges.

# Ton corps est un pays

Tout corps est un mystère,
Même celui que l'on voit et que l'on touche
Car la personne y habite, parfois proche, parfois loin,
Parfois tapie dans l'ombre cherchant à se dérober
Parfois lumineuse derrière le regard.

Tout corps est un abîme
Tout corps est un tremplin
Tout corps est un pays dont on ne sait la frontière
Tout corps est comme un fruit que l'on voudrait goûter
Qui n'apaise ni la faim ni la soif
Mais qui assouvit le cœur et panse les blessures.

Ceci est mon corps, prenez et mangez
Ceci est mon sang, prenez et buvez.

Je n'ai jamais vu ton visage
Il n'existe de toi ni photo ni gravure
Je ne crois pas au linceul de Turin

Ton visage est au-delà de toute représentation
Et sans doute serais-je déçu si je le voyais.

Je n'ai jamais entendu ta voix
Ni le timbre, ni le cri, ni le murmure, ni le chant
Et pourtant ta Parole est lumière
Et pourtant tu es le Verbe
Et pourtant ta Parole est comme une nourriture
Plus substantielle que le pain
Plus vraie que le riz ou le poisson.

Je n'ai jamais vu tes mains
Tes mains de guérison sur l'aveugle et le lépreux
Tes mains levées au ciel aux jours de prière
Tes mains de bénédiction sur la foule assemblée
Tes mains tendues entre ciel et terre
Sur l'arbre de la croix.

Tu avais donc un corps?
Je n'ai jamais vu ton corps.
Comment te reconnaître?
Où sont tes yeux, ta bouche, ton rire,

Tes cheveux flottent-ils au vent?
Où sont tes pieds qui ont si longtemps marché
Et qu'une femme au passé douteux a caressés
   chaudement?


Au pays de ton corps, il n'est pas de frontière.
Ton corps est comme un temple
On y entre pour prier ou pour pleurer
Pour être seul ou pour être avec la foule
Ton corps est un carrefour.
On peut désormais détruire tous les temples
On peut se passer de temple
Ton corps est notre temple, notre demeure.


Ton corps est comme un pain, brisé, partagé,
   mangé avec avidité
Ton corps est comme un vin bu à grandes lampées
   aux soirs de fête
Et quand je mange le pain
Quand je bois le vin
Je deviens ton corps.

Je n'ai jamais vu ton corps
Je n'ai jamais touché ton corps
Ni entendu ta voix
Ni tenu ta main
Ni touché ton épaule.
Et tu me demandes de devenir ton corps?
J'ai déjà tant de peine avec mon corps
Par quelque partie il me semble toujours faux
Toujours en deçà de ce que je voudrais être.
Bien sûr, je suis mon corps
Mais je suis aussi plus que mon corps
Du moins je le pense, du moins je le voudrais.
Et tu m'appelles à devenir ton corps?
Ton corps charnel et limité d'homme de Palestine?
Ton corps ressuscité au matin de Pâques,
Ton corps délivré des contraintes de la mort,
Ton corps de lumière?
Ton corps est le pays où mènent mes errances
Ton corps est l'horizon d'un infini voyage.
Donne-moi encore un peu de ce pain
Donne-moi encore un peu de ce vin,
Laisse-moi entrer dans le temple nouveau

Laisse-moi devenir ton corps
Laisse-moi naître en toi
Pour qu'entre ton corps inconnu
Et mon corps si mal connu
S'interpose le corps des autres
De tous ces autres auxquels tu t'identifies
Le corps des affamés
Le corps des affaiblis
Le corps des sans-papiers, sans logement, sans vêtements
Les corps des prisonniers et des étrangers
Tous ceux-là qui ont un visage trop réel
Et dont les traits trop marqués
Donnent figure à l'évanescence de ton propre visage
   toujours inaccessible.

Ton corps est le chemin que j'emprunte
Ton corps est le pays que je cherche
Ton corps est au-delà de mes frontières.
Donne encore de ce pain
Verse encore de ce vin
Elle est si longue la route qui mène à ton corps.

Amen.

# Merci

Le ciel était si beau ce matin
Que j'en ai oublié tout le reste.
Il faisait froid, il faisait clair
Et le soleil poussait partout une joyeuse lumière.
Malgré les horreurs, malgré la fatigue, malgré la tristesse,
Chaque matin est le premier matin du monde.
Merci.

Je suis déjà hors d'âge. J'ai franchi la limite.
Je suis sur l'autre versant
Quand la pente se fait raide de plus en plus.
Ce n'est pas encore la chute
Mais ce n'est surtout pas la plaine.
Ce n'est pas la montée,
Ce n'est pas le détour,
C'est l'heure incertaine où l'on cherche encore la route.
Il n'y a pas de route, il n'y a que des pas.
Il me semble qu'avant, il y avait une route
Route de la carrière, du projet, de la maison,

Route si fascinante du devenir collectif.
Dans la brume qui monte il n'y a plus de route.
Ce n'est pas l'errance pourtant, ni le mirage
Un pas, un autre pas, un pas encore
Et le pas lui-même trace le chemin.
Je suis en route vers toi. Merci.


Merci pour tout
Merci pour les soirs de solitude
Merci pour la peur
Merci pour les pleurs
Merci pour le goût du pain
Merci pour l'odeur du café, même quand le café
    était mauvais
Merci pour les joies folles des soirs de triomphe
Merci pour la douleur si lourde des soirs de défaite
Les soirs où l'on voudrait rentrer sous terre
Tellement on a honte de s'être ainsi trompé
Tellement on a peine à croire d'avoir été si bête
Tellement on a honte d'avoir été si mesquin
Et l'on voudrait mourir.
On voudrait se cacher, que plus personne ne vienne

Mais par mille détours,
Par une lettre, par un sourire, par un appel téléphonique
Tu m'as fait signe d'aller un peu plus loin
Et me voici encore en marche
Merci.

Je marche moins bien, les pieds me font mal.
Comme des milliers de mon âge
J'encombre les chemins
Je piétine, je dandine
Sur la trace des pas le chemin se dessine
Il s'en va quelque part, il cherche vers ailleurs
Avant qu'il arrive au terme
J'aimerais comme ça, en passant,
Te dire simplement: Merci.

◈　◈　◈

# La mer n'est pas Dieu*

La mer n'est pas Dieu
Je le sais bien.

Dieu est au-delà de la mer
Mais quand je regarde l'immensité des flots
Le reflux de la vague et la marée montante
Quand les crêtes se brisent en une longue lame blanche
Quand le regard se perd dans le bleu du ciel et de l'eau
Quand le bleu de l'eau est si dense que le ciel
   semble blanc
Il m'arrive de te chercher au-delà de la mer
Comme si mon cœur était en partance
Au-delà de moi-même et du temps.

La forêt n'est pas Dieu
Je le sais bien.
Dieu est au-delà de la forêt et du désert
Mais quand j'emprunte le sentier
Et marche loin dans les bois

* Poème également inséré dans *L'eau et la terre me parlent d'ailleurs*
(Novalis 2009)

Quand je vois les branches tout en haut
Qui s'inventent un ballet à la rencontre du ciel
Quand je sens l'arôme des pins
Ou cette odeur presque rance de la moisissure
    près du ruisseau
Quand j'entends le bruit régulier d'un pic
Cherchant sous l'écorce l'insecte camouflé
Quand j'entends même le silence tellement tout se tait
J'ai l'impression d'une présence encore.

Dieu de la forêt
Dieu des espaces sans fin
Dieu du désert et de la montagne
Je te cherche encore et toujours.

Dieu est au-delà de l'air, de l'espace et du temps
Mais quand je sens sur moi le souffle du vent
Quand je vois les nuages glisser sans fin
Sur un fond de ciel bleu
Quand je les vois se rejoindre puis se quitter encore
Comme des enfants qui se tiennent la main
Puis se repoussent dans une cascade de rires.

Quand mon ventre se gonfle et se vide
Au rythme du monde et de la chair
Si je t'appelle Esprit, est-ce que je me trompe?

Tu es le Dieu aux mille noms
Tu es l'aigle qui me porte sur ses ailes
Tu es le rocher qui me sauve
Tu es l'arbre qui donne ombrage et protection.

Tu es la Terre, tu es la Mer
Tu es la Mère et le Père
Tu es la source et l'océan
Le Dieu aux dix mille âges
Aux quatre-vingt-dix-neuf noms,
Au-delà des mots et du langage
Mais si profondément présent que tout est ton écho.
Dieu des pères et des mères à genoux,
Dieu des pères et des mères debout,
Dieu, qui es amour et bonté,
Dieu de la justice et des combats,
Dieu des espérances inachevées,
Dieu du repos, de la fête et de la danse,

Dieu des repas et des festins, donne-moi de te chercher
De te trouver.
Que, te trouvant, je te cherche encore
Inlassablement, inlassablement, inlassablement...

❖ ❖ ❖

# Du bienfait de la vieillesse

*À la manière de l'*Imitation de Jésus-Christ. *L'*Imitation de Jésus-Christ *est un livre de spiritualité monastique du Moyen-Âge, attribué à Thomas A Kempis. C'est un livre austère et sérieux mais dont les observations sont souvent très fines. Il s'agit d'un dialogue entre l'âme et Dieu.*

Songe, mon fils, au bienfait de la vieillesse. D'abord tu aurais pu mourir plus jeune. Regarde autour de toi. Combien de tes confrères de classe sont déjà morts? Combien d'amis? Vois tes parents et tes grands-parents. Et toi, tu es encore vivant «et plus solide que l'ennui», dirait le poète Jacques Brel. Alors, avant de pester contre ton âge, rends d'abord grâce au Seigneur d'être encore en vie car c'est lui qui nous «donne la vie, la croissance et l'être». Fais de la journée d'aujourd'hui une action de grâces.

Mon fils, ne te vante pas de ton âge. Tu n'y es pour rien. D'abord cela dépend beaucoup de tes gênes. La génétique est un peu comme une loterie. Tu as tiré un ticket gagnant. Tant mieux. Songe à ton copain qui avait une malformation cardiaque congénitale et qui est mort à quarante ans, à cette amie morte d'un anévrisme à dix-huit ans et dont le décès t'avait tellement bouleversé! N'évoque pas ta bonne vie pour le succès de ton âge. Il est des mécréants qui vivent jusqu'à cent ans et des justes qui meurent à trente. Par bonheur, tu ne fumes plus et tu surveilles un peu ton alimentation. Bravo! Ce n'est pas là de l'héroïsme mais simple bon sens. Serais-tu vraiment un homme si tu faisais un dieu de ton ventre? Et puis oublies-tu tous les bienfaits que te procure la médecine aujourd'hui? Ces examens aux trois mois pour suivre tes urines, ta prostate, tes reins, ton cœur, ta pression? Ces médicaments qui t'accompagnent quotidiennement comme une mère. Vraiment, mon fils, humilie-toi et remercie le Seigneur d'être aussi choyé.

Et puis ne va surtout pas te vanter de ton âge comme si c'était une chose vertueuse. La jeunesse n'est pas une qualité, la vieillesse n'est pas un défaut. Ce sont des faits tout simplement. La jeunesse est une maladie qui guérit avec l'âge. La vieillesse pour sa part n'a pas cet avantage. Elle empire avec l'âge. Et puis, dans tout cela, quel âge as-tu: 65, 70, 75 ans? Oh là, la belle affaire. Une goutte d'eau dans l'océan. L'érable devant ta porte dépasse deux cents ans et, à chaque saison, il donne encore de belles samares. Il y a déjà un certain temps que ta vigueur t'a quitté. Illusion bien éphémère que le Cialis et le Viagra. Assume ton âge au lieu d'essayer de jouer au jeune.

Et puis as-tu pensé aux bénéfices liés à ton âge? Chaque mois, l'État fédéral t'envoie une pension simplement parce que tu as dépassé soixante-cinq ans. La vie est un cycle. Jeunes, nos parents nous nourrissent et l'État donne à la mère une allocation. Puis vient l'âge adulte où l'on assume ses propres besoins. Tu es maintenant sur l'autre versant de la montagne, là où le soleil se couche, là où rayonne la beauté du soir tombant. Et voici que la société t'envoie chaque mois un chèque pour accompagner tes vieux jours. Il arrive encore dans le métro qu'un jeune te donne sa place. À propos, tu ne le faisais pas toujours quand tu avais quinze ans. Et ta carte d'âge d'or te permet de petites réductions. Tu n'es pas riche? Je sais bien, et c'est tant mieux. Mais tu as assez pour vivre et tu vis bien. Cesse de rouspéter contre la vie et bois à pleins verres pendant que la vie te verse encore l'ivresse. Demain viendra le temps de la sécheresse. À chaque jour suffit sa peine.

Et puis, mon fils, ne critique pas tant. Cesse de parler de ton jeune temps comme d'un âge d'or. Tu pestais tellement en ce temps-là et tu voulais tuer ton père. Mais maintenant, tes amis et toi, vous vous en allez le matin au centre commercial, vous prenez un café et votre déjeuner, puis vous critiquez la société. Ah, les jeunes! Ah, les politiciens! Ah, les joueurs de hockey! Et pendant ce temps-là, tu oublies de vivre, d'apprendre, de comprendre. La vie change de plus en plus vite et c'est dur de suivre le rythme. Ne t'entête pas dans le temps d'autrefois. Ouvre ta porte et laisse entrer l'air frais du matin, le chant de l'alouette et le souffle de l'espoir qui renouvellera toutes choses.

Même si les os te font mal, que ta vue baisse et que ton ouïe perd de son acuité, songe au bienfait de la vieillesse. Quel est-il donc ce bienfait, dis-tu, si mon corps s'en va en ruine, s'il faut me lever quatre fois durant la nuit parce que ma vessie n'en supporte pas plus? Le bienfait de la vieillesse, mon fils, c'est de savoir qui l'on est. Quand on est jeune, la vie est au futur et l'on porte toute l'angoisse de sa vie à venir, la peur de l'échec, le stress des décisions à prendre, cette inquiétude parfois intolérable de ne pas savoir qui l'on deviendra. Trahir l'attente de ses parents, oser sa liberté, jeter sa vie dans un grand amour, affronter l'université. Et ainsi de suite. À ton âge, on sait qui l'on est et les rides de ton visage portent la trace de ta vie.

Le temps se fait court? Mais non, tu as du temps. Le temps est incompressible. Prends le temps de te réconcilier avec toi-même. Cesse de ressasser à l'infini l'amertume du temps jadis. Assume, intègre, pardonne. Le temps sans stress, le temps gratuit. Fais un retour sur toi-même.

Si tu fais cela, mon fils, tu vivras jusqu'à cent ans. Confie ta vie à Dieu chaque jour patiemment. Répète avec le vieux Siméon: «Maintenant, souverain Maître, tu peux, selon ta parole, laisser ton Serviteur s'en aller en paix.» (Luc 2,29)

Ne t'inquiète pas pour ta mort. Tu ne t'en apercevras même pas. De l'autre côté de la mort, il y a le soleil levant.

La profondeur de son être secret.

Tu es la Terre, tu es la Mer.
Tu es la Mère et le Père.

# S'il fallait...

S'il me fallait t'écrire un soir en vérité...

Ce soir même, pourquoi pas.

S'il me fallait dire toute la vérité...!

C'est quoi la toute vérité, la vérité nue, la vérité entière?

Est-ce la sincérité, l'entière matérialité des faits,

    la synthèse, un *best-of*?

Tout est mensonge, tout est vérité,

Tout est séduction, manipulation, illusion, jeu de miroir

    du dit-caché

Car chaque mot trahit, chaque mot dévoile

Le secret mal gardé du cœur.

À parler des choses et des autres

On ne parle finalement que de soi

Un soi qui se tapit dans la douceur du verbe.

En voulant se dire, on s'esquive

Mais en voulant se cacher on se révèle

Car le rythme, la musique, les mots

Ont toujours un secret mystique qui échappe à l'auteur

Le trahit, le dévoile, le livre aux dents cruelles
  des décrypteurs.
L'écriture est une corrida où l'ombre se gorge de lumière.
L'écriture ressemble à un objet qui flotte sur l'eau,
Une feuille, un bout de bois, une bouteille, qu'importe
Mille objets indistincts s'en vont à la dérive
Le courant les prend et les jette à la rive
Le jaune ici, le rouge ailleurs et le noir partout
Et pourtant l'un d'eux ira jusqu'à la mer
Vers la mer, t'ai-je dit, vers nulle part,
Vers l'au-delà, vers Dieu, vers la mort.
Et le courant s'en va toujours
Toujours file et s'en va encore.
Je voudrais m'agripper, nier le temps,
M'amuser un peu l'espace d'une pause
Pour déjouer les flots et rire comme un enfant
Qui a, pour une fois, trompé le surveillant.
S'il me fallait dire la vérité, toute la vérité
Dirais-je que je t'aime,
Ou le contraire: je ne t'aime pas
Je ne t'aime plus,
Je t'aime trop,

Je t'aime bien, ce qui est le pire
Ou dire je reviens, en croyant m'en aller?
J'ai perdu la mémoire des elfes qui dansent dans le vent.
Le plus simple n'est-il pas de partir?
Le plus simple serait de mourir
Mais on ne part jamais.
On ne meurt jamais, sauf une fois, une seule fois,
Une fois de trop et c'est la mauvaise.
Entre-temps, il ne reste que la chance d'être là
D'écrire, de parler, de goûter, de voir.
Entendre une musique, quelque part, entre Handel
   et Vigneault,
Un chant d'oiseau, une brise d'automne dans
   les feuilles gelées
Juste voir une fleur qui parle de beauté.
Toute vie est errance car la route est sans fin
Et la vérité danse toujours devant nous,
Échappant aux mots qui la veulent capturer
Qui la cernent et l'enlacent.
Mais elle s'efface en riant au moment du baiser.

# Chante et marche

La vie chrétienne est traversée par une tension entre la vie présente et la vie future. Il y a au sein de l'expérience humaine un désir, une aspiration à dépasser le temps immédiat, une intuition d'un au-delà de la vie présente et de la finitude. Pour qui croit en Dieu, cette impression prend également appui sur un sentiment d'injustice. La vie présente est si marquée par le mal qu'il faut bien que Dieu rétablisse ailleurs l'ordre des choses. Chez les mystiques cette conviction est si forte que la vie présente en devient fade et sans consistance face à la vie future.

Dans une homélie pour le temps pascal (Sermon 256) saint Augustin a une envolée typique de son style d'éloquence. L'Alléluia de Pâques est l'entrée dans la vraie vie.

*« Heureux, alors, l'Alléluia ! Vie paisible, sans adversaire ! Là, il n'y a plus aucun ennemi, et on ne perd aucun ami. Là-haut, louange à Dieu, et ici-bas, louange à Dieu. Mais ici au milieu des soucis, et là dans la paix. Ici par des hommes destinés à mourir, là par ceux qui vivront toujours ; ici en espérance, là en réalité ; ici sur le chemin, là dans la patrie.*

*Chantons donc, maintenant, mes frères, non pour agrémen-*
*ter notre repos, mais pour alléger notre travail. C'est ainsi que*
*chantent les voyageurs: chante mais marche. Soutiens ton*
*effort par le chant, n'aime pas la paresse: chante et marche.»*

La pensée antique (la tradition chrétienne bien sûr, mais aussi la pensée grecque) est habitée par l'idée d'un âge d'or perdu. La perfection est au passé. C'est le mythe chrétien du péché originel où l'être humain serait tombé en deçà de lui-même, comme en exil. Plus sensibles à la consistance propre de la vie humaine, nous adhérons davantage à la vie présente, reléguant la vie future dans un flou sans beaucoup de consistance. À nos yeux, Adam est moins un individu personnel dont le faute aurait plongé sa descendance dans la culpabilité (thème si lourd chez Augustin) qu'un collectif.

Bien sûr, le péché originel c'est toute l'épaisseur du mal que nous nous transmettons les uns aux autres. C'est le déjà-là du mal inscrit dans l'histoire des institutions et des traditions. C'est la culture de violence et d'exploitation, le machisme, le racisme, le mal et les blessures que nous nous infligeons sans cesse même quand nous voulons bien faire. Et il y a toujours un fou pour en appeler à la guerre absolue, divisant le monde en deux clans: celui du bien, celui du mal. En vérité, comme disait un penseur du Moyen-Âge, chaque homme est Adam pour lui-même. Chacun recommence la chaîne sans fin du mal.

La vie présente n'est pas un exil. Mais la vie présente n'est ni achevée, ni entièrement accomplie. La vie éternelle est à mon sens l'accomplissement de la vie, l'achèvement de l'amour. Une très belle prière de la liturgie évoque cette idée.

*Fais fructifier en nous, Seigneur, l'eucharistie qui nous a rassemblés; c'est par elle que tu formes dès maintenant, à travers la vie de ce monde, l'amour dont nous t'aimerons éternellement.*

Tout à fait génial. Il n'y a pas deux vies mais une seule. Une vie maintenant dans le clair-obscur du bien et du mal. Une vie achevée dans l'amour. Que faire alors du temps présent? Vivre et vivre pleinement dans la profondeur de l'être plutôt que dans l'épaisseur des choses. Augustin a bien raison. Chante et marche. Marche et chante. Quand on marche, il faut chanter car le chant rythme les pas. «Un mille à pied, ça use, ça use, un mille à pied, ça use les souliers.» Les chants folkloriques étaient faits pour les travaux en commun: ramer, couper le foin, battre le blé, filer la laine. «Je le mène bien, je le mène au doigt, je le mène bien mon dévidoir.»

Chante et n'oublie pas de marcher. Marche et n'oublie pas de chanter, car le chant annonce la fête et la marche annonce la liberté.

\* \* \*

# Nécrologie

Lisez-vous dans les journaux la rubrique nécrologique ? J'imagine que non. Vous n'avez pas le temps. Et surtout, cela est déprimant. Quel intérêt à regarder qui est mort ? En fait, l'intérêt grandit avec l'âge. Quand on est jeune, cela nous semble macabre, répugnant. De plus, les gens dont on parle sont vieux. Nous ne les avons pas connus et il n'est, somme toute, que juste et raisonnable qu'ils laissent la place.

Mais un jour, c'est son père, sa mère, une sœur, un frère que l'on voit partir. Comme cette mort nous affecte personnellement, on cherche les mots adéquats. Et l'on voudrait que tout le monde le sache. Car chaque mort est un drame terrible pour ceux et celles qui le vivent. Une brisure, une déchirure, une détresse.

Plus on vieillit, plus on regarde la nécrologie. C'est le miroir de soi-même. Il y a d'abord les amis proches, les connaissances, les liens complexes de la vie. On retrouve un lointain parent, ou un éducateur, un patron, un ami oublié. Comment manifester à la famille mon appréciation ? Un mot, une visite, un don ? Faire semblant de ne pas avoir vu ?

En lisant la nécrologie, on ne peut s'empêcher de faire des rapprochements. Celui-là n'était pas si vieux. Celle-là, il était temps qu'elle parte. Tiens, celle-là avait mon âge tout juste. Et moi je suis toujours là. Au fait, il me reste combien d'années? Cinq comme celui-là dont la photo est souriante? Dix, quinze à l'image d'un vieillard desséché qui n'arrive pas à sourire?

Je regarde les dates de naissance: 1920, 1956, 1935, 1983, 1938. Tiens, c'est mon année. Vous faites erreur. Je ne suis pas prêt. Mais pourquoi, diable, la mort saute-t-elle des tours? Que les gens de 1910 et plus s'en aillent me semble aller de soi. Pourquoi la cruelle mort se promène-t-elle à travers les âges? Sur l'autoroute, quand la circulation passe de trois voies à deux voies, puis à une voie, les conducteurs s'engouffrent pour se mettre dans la file. Au corridor de la mort, nous nous pressons moins. Mais il faut bien un jour ou l'autre prendre son tour.

La notice nécrologique est bien utile. On l'évite quand on est jeune. En vieillissant on s'y habitue. C'est d'une certaine façon une manière d'apprivoiser la mort. Une amie de toujours que l'on aimerait voir arriver plus tard.

# Comme un chant

Vivre sa vie comme un chant,
Laisser monter en soi le souffle, l'air et le temps.
Cesser de se battre, de lutter, de se prendre au sérieux.
Oublier un moment le poids des choses
Et de l'existence.
Tout au fond du cœur une simple note,
Une note et sa tierce,
Un arpège, un accord,
Puis une mélodie comme goutte d'eau,
Comme l'eau roule sur une pierre.
Et les remous font une mousse blanche
Qui fait penser aux anges et à l'oubli.

Vivre sa vie comme un devoir?
    Peut-être.
Comme un combat?
    Toujours.
Comme un poids, une corvée?
    Jamais.

Comme un voyage?

   Certes. Mais le voyage ne finit pas.

Vivre sa vie comme un chant?

   Surtout comme un chant

   Comme une mélodie d'amour et de liberté.


Tout en bas, tout au fond, le rythme

D'abord simple battement de tambour

Puis le cœur gonfle et s'effarouche

C'est un cheval au pas, au trot, au galop

Le voilà qui s'emballe, l'écume à la bouche

Puis la bête se calme

Et revient au pas, secouant sa crinière, *allegro,*

   *andante, presto.*


C'est le chant de la vie

Tantôt calme, tantôt fébrile.

Peu à peu, le poème se glisse entre les notes et le rythme

Un mot, un autre mot, un mot encore,

Une rime hésitante

Qui associe soupir, désir, partir

Bonheur, malheur, peur, ardeur

Jeunesse, ivresse, promesse
Et les soirées d'automne
Quand déjà l'heure sonne
De se détacher de tout
De soi-même surtout
Vivre sa vie, comme un chant
Comme une mélodie qu'on fredonne en soi-même,
   en silence,
Comme un chant sous la douche, à pleine voix
Comme un chant de bonheur
Comme un hymne à la joie.
Dans la longue paix du soir
Le son ne s'éteint pas.

# Table des matières

Ce livre a été imprimé au Québec en mars 2010
sur du papier entièrement recyclé
sur les presses de Transcontinental impression.